Czytamy z Franklinem

# Franklin
## i duch z jeziora

Książka powstała na podstawie animowanej serii
pt. *Witaj, Franklin*, wyprodukowanej przez Nelvana Limited,
Neurones France s.a.r.l. i Neurones Luxembourg S.A.

W oparciu o książki o Franklinie napisane przez Paulette Bourgeois
z ilustracjami Brendy Clark.

Ilustracje: Sasha McIntyre, Robert Penman i Shelley Southern.
Historia została napisana przez Sharon Jennings.
Na podstawie odcinka telewizyjnego pt. *Franklin i duch z jeziora*,
tekst: Nicola Barton.

Franklin jest znakiem zastrzeżonym Kids Can Press Ltd.

Projekt postaci Franklina: Paulette Bourgeois i Brenda Clark
Tekst copyright © 2005 Contextx Inc.
Ilustracje copyright © 2005 Brenda Clark Illustrator Inc.
Tłumaczenie: Patrycja Zarawska

Copyright © Wydawnictwo DEBIT sp. j.
43-300 Bielsko-Biała, ul. M. Gorkiego 20
tel. 33 810 08 20
e-mail: handlowy.debit@onet.pl

Zapraszamy do księgarni
internetowej na naszej stronie:
**www.wydawnictwo-debit.pl**

**www.Franklin.pl**

ISBN 978-83-7167-687-1

# Franklin
## i duch z jeziora

WYDAWNICTWO
WD
DEBIT

Franklin umiał już sobie zawiązać buty. Umiał też dobrze liczyć. Potrafił wyśledzić tajemnicze rzeczy. Właśnie przeczytał książkę o zjawie z jeziora. Był pewien, że ten dziwny potwór mieszka na głębinie. Tylko czy uda mu się go wytropić?

Franklin prosto z biblioteki
popędził do rodziców.
– Wyruszam na poszukiwanie
zjawy z jeziora! – oznajmił. –
Tak naprawdę to jest wielki
potwór. Mieszka głęboko
na samym dnie.

– Ale od dawna
nikt tej zjawy
nie widział –
zauważył tato.

– W takim razie ja ją
zobaczę dziś – orzekł
żółwik. I wybiegł
z podwórka.
– Wróć na kolację! –
zawołała za nim mama.

Nad jeziorem snuła się lekka mgiełka.
– Usiądę i poczekam – postanowił
Franklin. – Na pewno zobaczę dziś
zjawę z jeziora.
Usiadł więc i czekał.

Siedział,
wpatrywał się
w wodę
i czekał.

Czekał
i wpatrywał się
w wodę.

Wpatrywał się,
siedział i czekał,
aż w końcu...
zasnął.

Po chwili Franklin ocknął się. Słońce
świeciło jasno. Woda migotała.
Nad jeziorem unosiła się mgiełka.
A po jeziorze sunęło coś dużego
i białego.
Żółwik przetarł oczy.
– Ojej, to zjawa z jeziora! – zawołał.

Franklin czym prędzej pobiegł
do przyjaciół.
– Widziałem zjawę z jeziora! –
wołał już z daleka.

– Naprawdę? – zdziwił się miś. – To niesamowite. Moja prababcia też ją raz widziała.

– Czyżby? – parsknął bóbr. – Ja nigdy nie widziałem tej zjawy. A przecież często tam bywam.

– No to chodźmy zaraz nad jezioro – zaproponował żółwik. – Może wszyscy zobaczymy tego potwora.

Franklin, miś i bóbr stanęli nad
brzegiem jeziora.
– Siedziałem właśnie tutaj –
wyjaśnił żółwik. – Patrzyłem
na wodę. I nagle zobaczyłem
wielkiego, białego potwora.
– Niemożliwe! – zawołał
z niedowierzaniem bóbr.
– Możliwe – upierał się Franklin. –
Zjawa płynęła prosto na mnie.
– Hmmm – mruknął miś.

Przyjaciele usiedli na trawie
i czekali. Nic się nie wydarzyło.

– Według mnie
ta zjawa to
jakaś blaga –
powiedział
bóbr. – Idę
do domu.

– Ja też –
dodał miś. –
Jestem głodny.

Franklin zastanowił się
i wpadł na świetny
pomysł:
– Zrobię zjawie zdjęcie.
Wtedy nikt nie powie,
że to blaga.

Pobiegł do domu
po aparat
fotograficzny.

Potem popędził
z powrotem
nad jezioro.

Słońce świeciło jasno. Woda migotała.
Nad jeziorem unosiła się mgiełka.
A po jeziorze sunęło coś dużego
i białego!

PSTRYK!

Franklin szybko nastawił aparat
i zrobił zdjęcie.

Żółwik pośpieszył do sklepu.
Poprosił o szybkie wywołanie.
Zdjęcie wyszło trochę zamazane.
Coś jednak na nim było.
Na wodzie majaczyło coś dużego
i białego.
– Świetnie! – ucieszył się
Franklin. – Mam na zdjęciu
zjawę z jeziora.

Następnego dnia Franklin, miś
i bóbr spotkali się nad jeziorem.
Żółwik przyniósł zdjęcie.
– Sfotografowałem zjawę! –
pochwalił się. – Znów ją widziałem.
I mam ją na zdjęciu!

Bóbr uważnie obejrzał zdjęcie.
– Według mnie to wygląda jak
wielka zamazana plama – rzekł. –
Muszę sam zobaczyć zjawę.
Inaczej w nią nie uwierzę.

Przyjaciele usiedli na trawie.
Siedzieli, wpatrywali się
w wodę i czekali.

Czekali
i wpatrywali się
w wodę.

Wpatrywali się
i czekali, aż
w końcu bóbr
i miś... zasnęli.

Franklin poszedł przed siebie brzegiem stawu. Wkrótce spotkał pana kreta. Pokazał mu zdjęcie.
– To niezwykłe! – zawołał pan kret. – Od wielu lat nikt nie widział zjawy z jeziora.

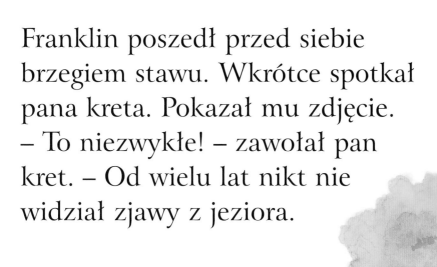

Pan kret zaproponował,
żeby poszukać zjawy
na jeziorze. Żółwik
chętnie się do niego
przyłączył. Wsiedli
do łódki pana kreta
i odbili od brzegu.
Łódka miała duży,
biały żagiel.

Franklin i pan kret długo pływali
po jeziorze. Pan kret wypatrywał
potwora przez lornetkę.
Nie zobaczyli jednak zjawy.

Tymczasem na brzegu bóbr i miś
obudzili się. Słońce świeciło
jasno. Woda migotała.
Nad jeziorem unosiła się mgiełka.
A po jeziorze sunęło coś dużego
i białego!

– Patrz! – zawołał miś. – Zjawa
z jeziora płynie prosto na nas.

– Tak! – odpowiedział bóbr. –
I posłuchaj: woła nas po imieniu.

Potwór podpływał coraz bliżej
i bliżej, aż w końcu...

...przybił do brzegu. Franklin wyskoczył na trawę.

Pan kret odpłynął w swoją stronę. – Wypatrywaliśmy zjawy z jeziora – wyjaśnił znużony żółwik. – Ale jej nie widzieliśmy.

– Za to my ją widzieliśmy! – oznajmił bóbr.

– Naprawdę? – zawołał Franklin. – Gdzie?

– Odwróć się, to sam ją zobaczysz – powiedział miś.

Żółwik szybko obejrzał się za siebie.

Słońce świeciło jasno. Woda migotała. Nad jeziorem snuła się mgiełka. A po jeziorze sunęło coś dużego i białego!
– To zjawa z jeziora! – wykrzyknął Franklin.
Bóbr i miś roześmiali się.
– To nie jest zjawa z jeziora – powiedział bóbr.

– To łódka pana kreta –
wyjaśnił miś.
– Co?! – nie uwierzył Franklin.
Obejrzał się jeszcze raz i uważnie
popatrzył na wodę. Patrzył
i patrzył...
– No, nie! – westchnął.
I pomachał panu kretowi.

– Chodźmy do domu – rzekł
zrezygnowany żółwik. –
Zjawa z jeziora to rzeczywiście
jakaś blaga.